대마법사 라니

발　행 | 2023년 11월 27일
저　자 | 홍지우
펴낸이 | 한건희
펴낸곳 | 주식회사 부크크
출판사등록 | 2014.07.15.(제2014-16호)
주　소 | 서울특별시 금천구 가산디지털1로 119 SK트윈타워 A동 305호
전　화 | 1670-8316
이메일 | info@bookk.co.kr

ISBN | 979-11-410-5505-9

www.bookk.co.kr

대마법사라니

저자: 홍지우

그림: MS. BANANA (조예나), 바나냥 (홍지우)

CONTENT

작가의 말

제1화 위험한 복숭아 홍차

제2화 누굴까?

제3화 약방에서 살아남기

제4화 오래된 지하 감옥

제5화 그날의 이야기

제6화 탈출

제7화 말조심

제8화 써니가 알고 있던 사실

제9화 순간이동

제10화 거대 괴물 아나콘다

제11화 전쟁의 시작

제12화 지하 벙커

제13화 라니의 진정한 힘

제14화 모든 것의 끝, 이것이 엔딩

작가의 말

저는 13살 6학년인 학생입니다.

학교에서 작가프로젝트라는 프로젝트로 이 책을 만들게 됐는데요!

100장은 만들고 싶었지만 시간이 없어 70장 정도 만들게 되었습니다.

원작은 "세 공주 자매의 큰 다툼"입니다.

제가 미국으로 유학을 갔을 때 CHAPTER 3까지 쓴 소설입니다. 뭔가 유치한 것 같아 마법사로 바꾸게 되었는데

챕터 3까지만 있던 내용을 챕터 14까지 노력해서 늘려봤습니다. 참으로 힘든 작업이었습니다. 많은 사람들이 많이 좋아했으면 좋겠고, 인기 있는 책이 됐으면 좋겠습니다.

부디 많은 관심과 사랑해주세요! 그리고 무엇보다 재밌게 읽어주세요!

감사합니다!

그리고 이 책에는 리액션이 많습니다.

CHAPTER 1
위험한 복숭아 홍차

세 자매가 있었습니다.

첫째는 마법 실력이 자매들 중에서 가장 우수했습니다!

그래서 늘 거만하고 자만적이었습니다.

둘째는 마법 물약 공부를 잘했습니다. 그래서 둘째의 아버지는 성에 있는 약물 제조 방을 선물로 줬습니다. 마지막 셋째는 마법에 대해서는 아무것도 할 줄 몰랐습니다. 그래서 첫째 언니는 늘 막내를 비난하고, 놀렸습니다.

왜냐하면 자매 중에서 제일 실력이 없었기 때문입니다.

그러던 어느 날...

첫째는 성에 있는 책 창고에서 책을 읽다가 아버지의 일기를 발견했습니다.

거기에는 둘째는 "언젠가 첫째의 힘을 뛰어넘을"거라고 적혀있었습니다.

그것을 읽고 난 뒤 첫째는 이를 빠득빠득 갈았습니다. 왜냐하면 "언젠가는 둘째가 언니의 힘을 뛰어넘을"거란 글 때문에 첫째는 그 뒤로부터 둘째를 죽일 계획을 세우기로 결심했습니다. 아주 잔인한 방법을

고민해서 말이죠......,

둘째는 첫째처럼 셋째를 놀리지 않고, 마법을 계속 가르쳐 주며 살았습니다.
셋째가 15살이 되기 전까지는...
둘째도 슬슬 셋째가 짜증이 나기 시작한 것이죠, 어느 날 둘째도 모르게 그만 막냇동생에게
지금까지 꾹꾹 참아왔던 말을 했습니다.

"넌 머리가 없니? 9년간 계속 가르쳤지만 발전한 능력이 없잖아! 발전하긴커녕! 1학년도 아는 마법을 아직도 할 줄 모르잖아! 이게 말이 돼? 후... 나도 이젠 지쳤어!! 다신 안 가르쳐!!"

하고는 동생의 방에서 나가버렸습니다.

"난 글렀나 봐."

라고 셋째가 말했습니다, 그때 둘째가 놓고 간 볼펜이 보였습니다.

"웅? 둘째 언니 볼펜인데? 가서 다시 주고 와야겠어."

하면서 향수를 만지는 순간!! 둘째 언니가 홍차를 마시고 죽는 환영을 봤습니다.

환영이 끝나기 직전! 시계에는 '1:05 p.m'이라고 적혀있었습니다.

"지금이... 1시잖아!! 빨리 가서 내가 막아야 돼!"

셋째가 둘째 언니 방에 도착해서 방문을 열고 들어가기 직전에는 이미 1시 5분이었습니다.

"안 돼!!!! 언니!!!!"

셋째가 이렇게 말하면서 힘껏 달렸습니다. 둘째 언니 방에 다 왔을 때!!
발이 걸려서 넘어졌습니다. 그러면서 둘째 언니 방문에 부딪혀서 방문은 열리고, 셋째는 넘어졌습니다. 우당탕탕!!! 소리와 함께 홍차를 마시려던 둘째는 깜작!! 놀랐습니다.

"이게 뭐야? 괜찮아? 다치진 않았어? 놀라진 않았어?"

둘째가 걱정하자, 셋째는 이렇게 말하였습니다.

"언니는 괜찮아? 혹시 저 홍차 마셨어?"

그러자 둘째 언니는

"그건 왜? 사실 마시려고 했는데 깜짝 놀라서 옷에 흘렸어... "
"언니! 거긴 독이 있었어! 혹시 홍차에서 이상한 냄새는 없었어?"
"그러고 보니 홍차가 이상하게 달콤한 냄새가 많이 났어! 갑자기 냄새를 맡으니까 목이 메고, 따가웠어."

둘째의 말에 셋째는 홍차 티백 냄새를 맡고 독이 아니라는 것을 알았습니다.

"언니 이건 독이 아니라 복숭아 냄새야! 언니는 복숭아 알레르기 있잖아. 먹었으면 큰일 날 뻔했어."

CHAPTER 2

누굴까?

복숭아 홍차 사건 이후에도, 둘째의 목숨이 늘 위태했습니다. 발이 독이 발라져 있는 덫에 걸릴 뻔하고, 죽음을 1시간 후 몰고 오는 향수와 밤에 잘 때 독성이 매우 강한 지네 등등...

이 사건을 만든 자는 첫째였습니다. 하지만 셋째가 늘 사사건건 첫째의 계획 방해했습니다. 그게 첫째 언니라는 것을 모르면서...

그러던 어느 날! 셋째는 둘째 언니의 목숨을 노리는 자를 잡기로 맘먹었습니다.

왜냐하면 셋째는 이제 환영을 볼 수 있는 능력을 갖췄기 때문이었습니다.

둘째는 위험에서 매일 구해준 셋째를 다시 마법을 가르치기로 결심하고, 절대 포기하지 않았습니다. 그 덕분에 셋째의 능력도 많이 발전했습니다.

"언니! 나 이제 환영을 볼 수 있어! 내려가서 점심 먹고 하나씩, 하나씩 검사 할 거야!"

셋째는 점심을 먹고, 성에서 일하는 하인들의 물건을 만져서 꼼꼼히 검사했습니다. 그러다 힘들어서 그만 능력 에너지가 손바닥 위에 있는 것을 잊고, 황금 계단에 앉았습니다. 환영을 보려면 능력 에너지가 손바닥 위에 있어야 하고, 능력을 더 이상 쓰지 않으면 능력 에너지를 손바닥 안에 집어넣어야 합니다!

"휴~ 힘들어! 응? 장갑이잖아? 그것도 비단 장갑! 이게 왜 황금 계단의 위에 있지?"

하면서 만지는 순간! 한 환영을 봤습니다! 그것을 만지는 순간!!! 환영이 보였습니다. 그것은 화가 많이 난 첫째와 그녀의 하녀 말리였습니다.

"아가씨... "
"시끄러워! 곧 있으면! 난 대마법사야! 하지만... 대마법사의 자리 챌린지를 마법으로 한다고!
이러다가는 둘째가 대마법사가 되잖아!
갈수록 미치겠네."
"아아아아아악!!!!"

그러는 동시에 첫째는 날씨의 힘으로 말리에게 전기 공격을 가했습니다. 그러면서 동시에 첫째의 비단 장갑이 벗겨지고, 환영은 끝났습니다.

"헉!! 대박 사건! 범인이 첫째였어! 그리고, 둘째 언니가 언젠가는 첫째 언니를 뛰어넘을 예정이고!! 헉!! 그래!! 말리!! 말리는 뭔가를 알고 있을지도 몰라!!"

셋째는 말리를 찾으러 성을 돌아다니는데...

"응? 헉! 말리! 너 괜찮아?! 왜 손들고, 벌 받는 자세를 하고 있니?! 눈은 왜 그래?"

왜냐하면 말리의 왼쪽 눈이 하이힐의 발자국 모양으로 시퍼런 멍이 크게 또렷이 보였기 때문이었습니다.

"아... 아. 가..씨..."

말리는 말더듬증이었지만, 일은 열심히 하는 어린 하녀였다.

"누가 이렇게 때렸니?"

CHAPTER 3

약방에서 살아남기

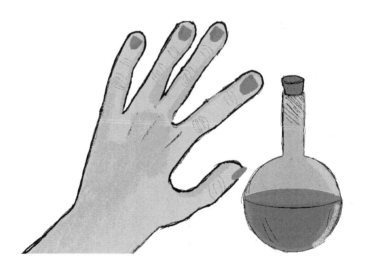

" ㅊ... 첫... 째 아가씨... 가요... 하... 지만... 괘... 괜찮아 요!"
"하나도 안 괜찮아! 빨리 치유의 방으로 가서 치료하자!"
"아... 안돼요!... 나... 가면... 안... 돼... 요"

셋째 공주는 어쩔 수 없이 그냥 약물포션 방으로 가서 상처 치료 물약을 만들어 오려고 한 그 순간! 방 안에서 약물을 뒤지고, 깨트리고, 냄새를 맡고 있는 첫째 공주를 봤습니다.

"어디 있어! 어디 있냐고! 아니야! 이것도 아니야! 잠깐... 혹시 그때 내가 독약을 몰래 가져가서 약물 포션 방이 화나서 숨겨났나? 이게 감히?! 어서 가져와! 독약이든 독약은 다 가져오라고! 내가 널 못 열 거 같아? 내가 있는 힘을 다 해서라도 독약을 숨겨둔 방을 찾아서 부셔버리겠어!"
'헉! 언니 왜 이렇게 파격적이야? 꿀꺽! 들키지 않게 조심조 심해야겠어.'

그 순간 엄청난 번개 소리가 났습니다. (쾅!!)

"꺅!"
"열었다! 드디어 그냥 스치기만 해도 바로 즉사가 되는 약! 크크크!"

그 순간 뒷걸음질로 도망치던 셋째 공주가 약물 비커 보관

장에 부딪히며 유리 비커 하나가 떨어졌습니다.

"헉! 어떡해!"
"거기 누구야! 잡히면 가만 안둬! 설마 내 계획을 들은 건
지?"
"도... 도망쳐야 돼! 상처치유의 물약! 찾았다! 이제 뛰어!"

CHAPTER 4
오래된 지하감옥

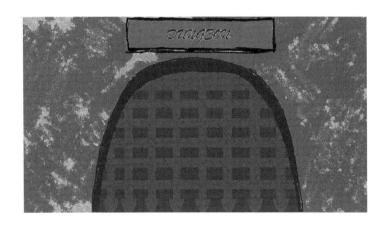

셋째는 마음속으로 '걸음아! 날 살려라!'라고 하고 힘껏 달렸습니다.

하지만 멀리 가지 못해 문이 하나밖에 없는 길을 들어섰고, 어쩔 수 없이 셋째는 그 문을 들어섰습니다.

다행이 그 문으로 들어서자 첫째는 더 이상 쫓아오지 않았습니다. 그러나...

"휴~! 정말 다행이다! 십년... 아니 백년 감수했네! 근데... 여기가 어디지? 지금 이 문을 열고 나가면 첫째 언니가 있는 쪽으로 가는 거나 똑같은데... 게다가 얼른 여기를 벗어나야겠어. 어둡고, 춥고, 이상한 냄새가 나! 이 악취... 엄청 지독하네...

둘째 언니가 알려준 미니 라이트 마법을 드디어 쓰는군! 이제 불빛이 있으니 안심이야"

셋째 공주는 의문의 방에서 길을 헤매야 했습니다. 만약 왔던 곳으로 돌아간다면 첫째 언니의 방이 근처라 잡힐 게 뻔했습니다. 그때 갑자기 이상한 터널에 낡은 간판에 지하 감옥이라고 쓰여 있었습니다.

하지만 너무 낡아서 폐방되어 있던 상태였습니다.

"지하 감옥? 어? 그러고 보니 내가 2살 때 여기가 지하 감옥이 되었다고 언니들이 말해줬었지! 그리고 더 옛날엔 여기가 우리 자매들의 놀이방이었다고 했는데? 내가 그때 1살

- 20 -

때라 기억이 안나는 건가? ... 응 이건? 우리가 옛날에 가지고 놀던 장난감?"

셋째 공주는 아무리 옛날이었다고 해도 기억이 잘 났습니다. 그때 셋째가 장난감을 만지자 세 자매들이 신나게 놀고 있는 옛날의 어느 회상을 봤습니다.

"써니! 마법! 마법 보여줘! 난 라니 에게 시원한 눈 마법을 해줄게! 너는 비눗방울 해주면 되겠다!"
"알았어. 언니 그렇게! 라니! 내가 비눗방울 마법을 해볼게!"
"어? 잠깐! 라... 니?... ... 그거... 내 이름이잖아? 맞아! 그러고 보니 둘째 언니의 이름이 써니였어!!"

맞습니다. 셋째의 이름은 라니였습니다.

"하지만 첫째 언니 이름은 기억이 안나... 그리고... 왜 우리는 서로의 이름을 지금까지 잊고 살아왔지? 그것도... 자신의 이름마저... 여기를 좀 조사하면 뭐가 나오지 않을까? 혹시 모르니 장난감을 좀 챙겨가자!"

라니는 지하 감옥을 조사하기로 결심했습니다. 왜냐하면 첫째의 이름을 찾아주고 싶었기 때문입니다. 그 순간 비밀창고... 지금은 그냥 지하 2층이지만... 옛날에는 장난감 창고로 사용됐던 층이었습니다.

"여기 발판 퍼즐을 풀면 지하 2층으로 가는 길이 생기는 곳이네? 그럼... 맨날 창고에서 꺼내왔던 이 기차 장난감을 만져볼까? 허허 기차 레일을 깔아 놔야 해서 아빠가 다 놀았으면 창고에 넣어놓으라고 했던 장난감인데... 창고를 왔다 갔다한 보람이 있군! 그럼 볼까?"

라니가 기차를 정신을 집중해서 만지니 한 하인 차림을 한 하인이 공사 중이라는 간판이 달린 곳을 큰 박스를 들고 가는 모습이 보였습니다.

"오! 내가 지금 있는 곳이다! 이제 퍼즐을 풀겠지?"

하인은 한참을 생각하다가 퍼즐을 풀었습니다.

"오! 7, 4, 9, 6, 0, 1, 2, 4, 3, 5, 8 됐다! 이제 퍼즐을 풀어 볼까? 먼저 7! 4! 9! 6! 0! 1! 2! 4! 3! 5! 8! 다했다! 문이 열리고 있어!"

하지만 문 너머에는 창고라고 할 수 없을 만큼 공간이 크지 않았습니다.

"뭐야? 지하 감옥으로 바뀌면서 막았나? 근데 이 사다리는 뭐지? 한번 올라가 볼까?"

올라가는 순간! 뚜껑을 여는 순간 어느 한 방에 들어섰습니다.

"여긴 또 어디지?"
"거기 누~구?"
"누구세요?"
"너야말로 누구세요!? 내가 먼저 물어봤잖아~? 누구야?"
"저 실례지만 혹시 드래곤이세요?"
"어! 맞아! 난 드래곤이야 16년 동안 여기에 갇혀 있지 근데 가만 보니... 너 세 자매 중 하나구나? 안 그래?!"
"저를 어떻게 아세요?"
"그야 너희 자매가 날 먼저 발견했으니까! 이름이 뭐였더라? 로니, 써니, 라니였나?"
"네? 저희 드래곤님을 발견했었다고요?! 게다가 로니가 누구에요?"
"엥? 너희 자매 아니냐? 내 기억 속에는 제일 나이 많던 애가 로니였어 근데 왜?"
"드래곤님! 감사합니다! 제가 그 이름을 찾고 있었거든요! 근데 어쩌다 여기에 갇히셨어요?"
"몰라서 묻나? 시작은 너희였어! 너희가 마법으로 장난치는 바람에 내가 소환됐었잖아!"

CHAPTER 5

그날의 이야기

"네?! 저희가요?! 전 그때 1살이라 기억이 가물가물 해요!"
"음... 그럼 네가 라니... 맞지?!"
"네! 맞아요! 드래곤님 그때의 이야기를 해주세요!"
"알았다! 하지만 네가 직접 보거라"

드래곤은 라니를 잠재웠습니다. 왜냐하면 드래곤은 꿈을 통해서 그날을 보여줄 생각이었기 때문입니다.

"자! 이제 눈을 뜨거라!"
"어?! 여긴?"
"그래! 지금은 지하 감옥이지만! 그곳은 너의 꿈속이다! 난 지금 너를 꿈을 통해서 그날을 보여줄 거다. 하지만 이 3가지를 명심해라! 첫 번째, 이 모든 것이 꿈이라는 사실을 잊어선 안 된다! 두 번째, 아무리 꿈속이라고 해도 길을 잃지마라! 세 번째, 꿈속에 있는 것들을 함부로 손대거나 파괴하지 마라! 만약 그럴시! 너의 뇌가 손상될 수 있다! 알겠느냐?"
"네! 알겠습니다!"
"자! 이제 본격적으로 시작한다!"

"얘들아! 내가 동화책을 읽었는데! 드래곤 소환법이 있어!"
"진짜? 한번 해보고 싶어 로니 언니!"

라니는 드래곤이 말한 것을 떠올렸습니다.

"드래곤 소환? 드래곤님이 말한 게 이거구나... "

"자! 그냥 이렇게 마법진을 그리면 돼! 간단하지?"
"응!"
"자 이제 주문을 외우면 끝! (숄라숄라)"

라니를 제외한 로니와 써니가 주문을 외우자 마법진이 빛이
나기 시작했습니다.
그러자 붉은 드래곤 하나가 소환되었습니다.

"안녕? 얘들아? 너희가 날 불렀니?"
"네! 전 로니이고요 이쪽은 제 동생 써니와 아기."
"안녕하세요."
"그래 반갑다 하지만 다신 절대로 이런 장난하지마. 알겠
냐?"
"싫어요. 맨날 만나서 놀아요!"
"안 돼 어른들이 보면 날 잡아갈걸?"
"내가 잘 말해볼게요!"
"안 돼"
"가지 마요!"
"미안하다 다신 보지 말자구나"

그러자 로니는 화를 못 참고 드래곤에게 벼락을 내리쳤습니

다.

"끄윽! 어린 게 감히 뭐 하는 짓이냐?!"
"언니 뭐하는 짓이야? 라니가 울잖아!"
"상관없어! 난 오늘 이 드래곤이 놀아줄 때까지 한 발자국도 안 움직여!"

"무슨 소리야? 괜찮니 애들아? 뭐야 이 드래곤은? 잡아라!"
"네! 알겠습니다!"
"드래곤 따위가 내 성에 들어오다니...! 괜찮니 얘들아?"
"아빠! 저 드래곤이 로니 괴롭혔어! 그치 써니?"
"응? 으...응! 응"

"헉! 이런 일이 있었구나... 드래곤님 그때 괜찮았어요?"
"그야... 기분 나빴지. 그래도 빼줄거라고 믿었는데... 그래서 로니에게 복수하고 싶어! 그 자식 때문에 여기에 16년 동안 있었으니까..."
"근데 왜 저를 보고는 화 안내세요?"
"그럼 화내면 좋겠냐? 그야 너하고 써니는 그 일에 상관없으니까."

CHAPTER 6

탈출

"그럼 제가 드래곤님을 여기서 빼 드릴게요! 어때요?"
"진짜?"
"네!"
"좋아! 당장 탈출시켜줘! 아, 잠깐, 내가 너무 크니까...
어... 그래! 아니야! 어... 어! 그래! 내가 잠깐 작아져서 너
의 품으로 들어갈게! 어때? 그럼 탈출시켜줘!"
"네! 당장 탈출합시다!"
"하지만 즐겁긴 일러... 왜냐하면 여긴 죄수가 탈출 못하게
만들어 놓은 함정이 있어"
"겁이 나지만, 잘 요리조리 피할게요!"

함정들은 하나같이 어마 무시했습니다. 그래서 조심하지 않
으면 바로 저세상이었습니다.

"꺅!"
"그러게 조심하랬잖아! 크게 안 다쳐서 다행이다!"
"알겠어요. 다시 갈게요!"

라니는 수많은 함정들을 피하고, 또 피해서 무사히 드래곤
과 함께 지하 감옥을 탈출했습니다.

"드디어! 출구!! 수고했어요. 드래곤님!"
"그래 너도! 날 성의 정원에 데려가 줄 수 있겠니?"
"물론이죠! 안녕히 가세요. 드래곤님! 몸조심하시고요!"

"그래 암! 그래야지 너에게 신세 많이졌다 고맙구나. 내 도움이 필요하면 이 루비반지를 손에 끼고, 코에 문지르면 나와 언제든지 연락할 수 있다! 그럼 이만~"
"안녕히 가세요!"

"참 멋진 분이었어!"
"셋째야!!!!"
"헉! 로니! 아니... ! 첫째 언니! 무슨 일이에요?"
"너 혹시 시간 돼?"
"응 있지... 근데, 왜?"
"그럼, 잔말 말고 따라와!"

로니는 라니를 자신의 방으로 끌고 와 무작정 자신의 방을 청소하라고 시켰습니다.

"내 방 좀 청소해줘!"
"응? 내가 하녀라도 빌려줄까?"
"아니! 빨리하라고! 어서!"
"언니 이상하다? 왜 그래?"
"시끄러워! 여기 보이는 행주로 이 물약 좀 닦아!"
"언니 혹시 하녀 잃어버렸어? 없으면 내가 줄게! 필요한 만큼 가져가 얼마든지 줄게 몇 명줄까? "
"바보야! 널 고른 이유가 뭐겠어? 하녀를 빌리고 싶지 않다는 뜻이잖아! 얼른 치워! 누가 이 약을 보면 안된다고!"

"왜 안되는데?"

"그건...됐어! 얼른 치워! 내 하녀가 사라졌으니 오늘 하루는 네가 내 하녀를 해줘!"

"성에 하녀가 많은데 왜 굳이 나야?"

"그건 몰라도 돼! 하녀를 고른 사람 마음이지!"

"알았어, 그나저나 이 약이 뭐야? 그리고 왤케 많이 흘렸어?"

"으...! 치우는데 뭔 말이 많아?! 원래 이런 일 할 때는 입 다물고 하는 거야! 알아들었으면 치워!"

"알았어."

라니는 로니가 흘린 약의 정체를 알고 있었습니다.
왜냐하면 로니의 계획을 들은 사람은 단 한 명! 라니였으니까요.

"넌 왜 이렇게 말이 많아? 너랑 상관없잖아!"

"그냥 걱정되어..."

"참 쓸데없는 것에 관심 많네! 그런 것에 신경 쓰는 것 좀 하지마! 그러는거 아니야! 알았어?!"

"근데 언니 요즘 말투가 더 초조해지고 더 거칠어. 요즘 무슨 일 있어? 나한테 말해봐 뭐야?"

"어휴! 내가 일을 가르쳐주면 일도 모르네?! 이래서 내가 동생들을 안 가르치는 거야! 답답하니까!"

"미... 미안..."

"그럼 이번엔 내가 물어보는 것에 대답해봐!"
"혹시 너... 말리 봤니? 내 하녀"
"응 봤어 내가 준 상처 치료약 먹고 자고 있는데?... 왜??
말리는 왜... ?"

CHAPTER 7

말조심

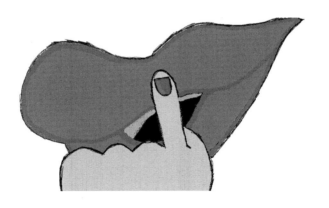

(헉!! 내가 약물 방에 있었다는 걸 말해버렸어!)

"너... 혹시 약물 방에 있었어?"

그 순간 라니는 속으로 '끝이다! 말해버렸어! 어떡해!!'라고 생각하면서 식은땀을 흘렸다.

"언니..."
"그럼! 혹시 약물 방에서 수상한 하인 못 봤어?"
"어?"
"내가 약물 방에서 할 일을 하고 있었는데 누가 날 미행한 거 같아서."
"어? 어! 못 봤어!"
"그럼 대체 누구야!!"
"근데, 미행했다 해도 큰 상관 없지 않나?"
"상관있거든!! 그 하인이 내 플랜B를 들었단 말이야!"
"응? 무슨 플랜?"
"아니야 괜한 소릴 했군. 미안! 그냥 잊어!"

그래도 라니는 로니가 하는 말이 무슨 말인지 알고 있었습니다. 왜냐하면 로니가 생각하는 하인이 바로 라니였으니까요.

"근데 방 청소는 왜?"

"말 한대로 말리가 사라져서 잠깐... 네가 뭐라고 했더라? 말리 뭐라고? 다시 한 번 부탁해."
"아! 어... 그러니까 말리가 너무 피곤해 보여서 내가 좀 재웠어!"
"그랬구나... 그래! 다 쉬었으면 내 방으로 오라고 전해! 그리고 고맙다! 이제 꺼져."

로니는 자신이 원하는 것과 하고 싶은 말만 하고 라니를 내쫓았습니다.

"아... 알았어... "

로니의 방에서 나온 라니는 언니들에 대해 생각과 고민이 많았습니다.

"하... 첫째 언니가 다시 둘째 언니를 암살하려고해! 내가 막아야해! 그래도 아직은 시간이 있어 왜냐하면 내가 보니... 로니 언니가 훔친 독약이 매우 치명적이지만 미완성본이야. 그래서 언니는 그 약을 완성시키는데 시간이 많이 필요하니까... 그래! 아직은 희망이 있어! 그래도 이 사실을 써니 언니한테 알려야해."
라니는 바로 써니에게 첫째 언니의 플랜B를 알려줬고, 이에 써니는 놀랐습니다.

"뭐~? 또? 앞으로 조심해야겠는걸…"

"언니, 내가 첫째 언니의 계획이 시작될 때 알려줄께! 걱정마! 그리고 앞으로 사건 조사를 많이 할 건데 언니가 도와줄 수 있어?"

"당연하지 필요한 게 있으면 뭐든지 말해! 지금은 뭐 안 필요해?"

"그럼 뭐 좀 물어봐도 돼?"

CHAPTER 8

써니가 알고 있던 사실들

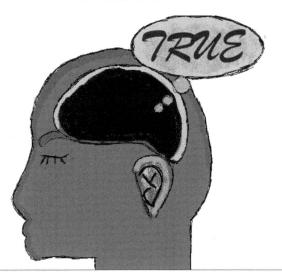

"응! 좋아!"

"옛날에 드래곤 때문에 우리 놀이방이 지하 감옥으로 바뀐 걸 왜 말 안했어?"

"그건... 미안 말 못해... 그보다 알고 있었어?"

"알고 있었어 말해줘... 부탁이야."

"... 알았어... 제발 언니한테 말하지 말아줘... 알았지?"

"응 약속해 자 이제 말해줘."

"그냥 방으로 가다들은 거야 아버지는 붉은 드래곤을 잡자서 그냥 외딴섬에 놔줄 생각이셨는데 언니가 이렇게 말했었어."

"아빠! 나 저 드래곤이 너무 싫어! 그냥 여기에 가둬! 자유롭지 않게!"

"로니야, 그러면 드래곤이 너무 불쌍하잖니 드래곤을 함부로 길들이거나, 가두거나, 죽이면 자연의 질서가 문제가 생길 수도 있단다. 그러니 함부로 가두지 말..."

"지금~ 생길 수도라고 했으니 안 생길 수도 있는 거네? 안 그래?"

"그... 건 맞지... 하지만 얘야 혹시 모르니..."

"아니! 길고 짧은 건 대 봐야지! 가둬! 가두라고! 가둘 대가 없으면 만들어! 이 놀이방을 바쳐서라도 만들란 말이야! 아빠! 응? 난 이 나라에서 아빠를 이을 후계자잖아!"

"알았다. 그런데, 다시 생각해 봐 응? 너 보다 더 어린 동생이 둘이나 있잖아. 게다가 동생들 중에서 1살짜리도 있잖니 그리고 이 놀이방은 너에게 추억이 가득하잖아 안그래?”
“어차피 다 크면 거긴 사라질 거 아니야?! 어차피 사라질
거, 지금 없애란 말이야!”
“알았다… … … ”
“진작 그럴 것이지! 메롱!”

“그때 알았어… ‘곧 우리 놀이방이 지하 감옥이 되는 구
나…’ 그래서, 내가 언니를 설득했지 하지만 원치 않더라
고.”

“뭐? 미쳤어? 드래곤을 풀어주라고? 아니 난 절대 그럴 마
음 없어!”
“하지만 자연의 질서가 깨질 수도… … ”
“또 그 소리! 아빠한테도 지긋지긋해질 정도로 들었는데 너
도 그 소리냐? 널 믿었는데!”

어린 로니는 어린 써니에게 화를 냈었고 뺨까지 맞았습니
다.

“악!”
“너하고 저 아기는 이제 내 이름 부를 자격 없어! 이젠 그
냥 언니라고해! 흥!”
“어… … … ”
“정말 구질구질 해가지고!”

"써니 언니... 그런 일이 있었구나... "
"그 후로부터... 난 언니의 이름을 아직까지도 기억못하고 있어. 심지어 너의 이름까지... 잠깐 써니? 써니... 써... 니... 써니! 내 이름이잖아! 네가 어떻게 알아? 넌 태어나서 한 번도 내 이름이랑 첫째 언니 이름을 불러 본적이 없잖아? 그리고 나도 내 이름을 잊고 있었는데...! 너 어떻게 알았어? 말해봐!"
"어... 그러니까 사실은 그 지하 감옥에 한 번 내려가 봤거든... 거기서 드래곤님을 만나서 이야기했지! 덕분에 드래곤님은 자유를, 난 언니들의 소중한 이름을 찾아서 좋았어!"
"그랬구나... 너 이름이 뭐였더라?"
"라니"
"맞아! 라니 이게 너의 이름이었지! 혹시 언니의 이름은?"
"로... "

그때! 라니가 첫째의 이름을 말하려하자 로니가 써니의 방으로 들어왔습니다.

"써니! 우리 얘기 좀 해!"
"어... 나? 어! 알았어."

라니는 로니 몰래 빠르게 써니에게 귓속말을 했습니다.

'언니, 로니 언니를 특히 조심해!'
'로니... 이게 첫째 언니의 이름이구나.'

"뭐해? 써니! 안 와?"
"지금 갈게! 언니"

"꿀꺽! 써니 언니가 무사해야 될텐데... "

"아가씨! 지금 이쪽으로 와주세요!"
"어? 병사 아저씨! 무슨 일이에요?"
"설명할 시간 없습니다! 이리 오십쇼!"

병사는 라니를 라니의 방으로 안내하고 이제부터 주의해야
할 사항을 알려줬습니다.

"공주님! 이제 절대 돌아다니시면 안됩니다! 아셨죠?"
"무슨 일인데요?"
"지금 성안에 이상한 괴물이 돌아다니고 있습니다. 그러니
몸조심하셔야되요!"
"네!"

성안에 이상한 괴물이 돌아다닌다는 이야기에 라니는 좀 겁
이 났습니다.
"무섭네. 하지만! 그 괴물도 내가 조사해야 돼!"

CHAPTER 9

순간이동

"혹시 모르니 언니의 방에 가서 조사해야겠어! 잠깐... 밖은 위험한데 어떡하지? 음... 아! 마법 수업할 때 약물을 사용하니, 쓸모 있는 걸 한번 찾아보자!"

라니는 수업용 약물 재료와 약물을 살펴본 결과 쓸모 있는 약물을 찾았습니다.

"어? 회복물약이다! 필요할지도 몰라! 게다가 순간이동 물약 3병 있다! 좋았어! 이대로 순간이동 해서 약방에 먼저 가야겠어! 그래서 순간이동 물약을 더 만들자! 그 다음엔 언니의 방으로 가는 거야! 그래서 본격적으로 조사해야겠어!"

라니는 순간이동을 한 뒤 약방에서 순간이동 약을 만들고 있을 그때! 밖에서 쿵! 쿵! 소리와 동시에 화려한 연주의 은 피리 소리가 들려왔습니다.

"응? 무슨 소리지?"

그와 동시에 정전이 왔습니다. 무슨 악몽을 꿀 것 같은 그런 상황이었고, 라니는 너무 무서워서 그만 계량컵을 실수로 바닥에 떨어트려 버렸습니다.

"헉! 어떡해!"

스르르륵!! 소리가 점점 더 맑고 가까이 들려왔습니다. 라니는 다리를 덜덜 떨었습니다.

"잠깐! 설마... 이쪽으로 오고 있나?"

약물 포션방에 있던 모든 책장과 책장 안에 있던 유리 비커들과 약물들이 괴물이 움지이는 진동 때문에 떨거나 깨지기 시작했습니다. 그때였습니다! 문이 부서지더니 꼬리에 전기가 흐르는 철퇴를 단 아나콘다였습니다.

"꺅! 뭐야? 저 큰 뱀은! 나한테 달려들고 있었어! 어떡해! 아 맞다! 순간이동 포션!"

라니 재빨리 포션을 마셔서 순간이동을 했습니다! 라니가 첫 번째로 도착한 곳은...

"왁! 휴~ 너무 급하게 왔나봐... 근데, 여긴 어디지? 어?"

라니가 도착한 곳은 로니의 방이었고 현재 옷장으로 순간이동 된 상황이었습니다.

"써니, 폐방된 지하 감옥에 드래곤이 탈출했어! 혹시 너야?"
"뭐? 탈출? 그게 무슨 소리야?"

"지하 감옥이 다 부서져있고, 억지로 문 열었던 흔적이랑 화살이 군데군데 보이는 게 함정이 작동된 흔적이 있잖아! 뭐야? 정말 너 아니야? 솔직히 말해!"

"난 몰라! 난 거기에 들어간 적이 없어! 정말이야! 믿어줘!"

"알았어. 근데 네가 아니면 라니 뿐이잖아 혹시 라니가 열었나?"

"그럴 리 없을 거야 언니 왜냐하면 라니가 지하 감옥에 있는 퍼즐들을 알리가 없잖아."

"듣고 보니 그러네... 그럼 네가 열었다는 거네?!"

"아니야! 언니! 오해야."

"정말 네가 아니면 범인을 3일안에 잡아와!! 못 잡아오면 네가 범인이야! 알겠어?!"

"아... 알았어... 언니... ... "

"흥! 네가 만약 범인이면 넌 더 이상 내 동생이 아니야! 알겠어?"

"으..응!... "

'헉! 써니언니... ! 어떡해...'

써니가 방을 나서자 로니는 혼자 혼잣말을 중얼중얼 말했습니다.

"하! 진짜 징글징글해! 드래곤까지 탈출해?! 써니, 너 죄를 네가 알렸다! 그리고 너의 목숨도 얼마 남지 않았다. 크크

- 45 -

크...! 써니를 죽이고, 라니 까지 죽이면? 내가 대마법사로 오르겠지? 생각해 보니... 라니도 시간이 얼마 안남았어! 하지만... 얼마 안남은 것 치고는 여유있어... 뭐? 걔도 자기 둘째 언니처럼 끝나겠지만... 크크크"

그러자 로니는 예쁘고 반짝반짝 빛나는 은피리를 꺼내더니 연주하기 시작했습니다.

'어? 아까 들었던 피리소리잖아?!'

그러자 라니가 약방에서 봤던 큰 아나콘다 뱀이였습니다.

'내가 아까 봤던 그... 뱀?! 설마... 저 뱀의 주인이 로니 언니?'

"사랑스럽고, 충성스러운 나의 심복, 뱀아! 이 독을 너의 이빨에 발라줄테니, 가서 써니를 물어 죽여라! 그러면 너에겐 큰상으로 맛있는 먹이를 주마! 자 이 냄새를 잘 기억해라!"

아나콘다는 로니가 샘플로 준 손수건을 맡자, 뭔가 알았다는 듯이 고개를 끄덕이고 사냥을 시작하러 나갔습니다.

"어떡해! 언니가 위험해! 오? 맞다! 나 약물 이것저것 있지?! 텔레파시 약이 있어!"

라니가 포션을 마시고, 정신을 집중하자 써니와 통신연결이
되었습니다.

"언니! 써니 언니! 내 말 들려?"
"여보세요? 응? 라니? 무슨 일이야?"
"언니! 로니 언니가 언니에게 괴물 아나콘다를 보냈어! 부디
조심해! 그 녀석의 이빨에 물리지마 절대로! 알았지?! 왜냐
하면 이빨에 독이 발라져 있거든! 알았지?
"알았어! 그리고 고마워!"

그때! 로니는 자신의 옷장에서 이상한 말소리가 들리자, 옷
장에 무언가 있는 것을 깨달았습니다.

"뭐야? 누구야? 어딘데! 당장 나와!"
"헉! 큰일 났다!"
"당장 나오지 못해?!!"
"헉! 큰일 났나! 순..!! 순간이동!"

라니는 재빨리 포션을 마시고 로니의 방에서 도망쳤습니다.
그 동시에 로니는 옷장 문을 열었지만 아무도 없었습니다.

"뭐야? 아무것도 없잖아? 잘못 들었나? 음... 아니야! 무슨
도망치라고 하는 말이 들렸는데... 진짜 잘못 들었나? 뭐 이

젠 상관없어! 왜냐하면, 곧 있으면, 둘째가 죽으니까! 하하
하! 너무 기분 좋은데? 축하 파티나 할까? 오랜만에 축하
파티라는 것을 하겠군, 크크크!"

CHAPTER 10

거대 괴물 아나콘다

그 시각 써니는 라니가 말한 대로 주위를 경계하고 있었습니다. 우선 괴물들이 싫어하는 소금을 방 곳곳에 뿌려놓고, 마법진과 마법요정들을 동원해 경계력을 키웠습니다.

"휴~ 이정도면 안심이겠지?"

그때! 라니가 써니의 방에 도착했습니다.

"앗! 라니!"
"엇! 써니 언니! 괜찮아? 걱정되서 왔어!"
"난 괜찮아 아직은... 그나저나 저 문밖에 있는 아나콘다를 어떻게 잡지?"

그때 라니가 아주 좋은 해결방안을 내놨습니다.

"언니! 나 좋은 생각이 났어! 나 드래곤님 부를 수 있어!"
"진짜? 잠깐... 드래곤 부르기 전에 저... 있잖아 언니가 드래곤을 탈출시킨 범인을 잡아오래... 어떡하면 좋지? 너를 잡아갈 순 없잖아!"
"언니 걱정 마! 그건 내가 다 생각해 놨으니!"
"정말 믿어도 될까?"
"그럼"
"알았어, 한번 믿어볼게! 드래곤 불러!"
"알았어!"

라니가 루비반지에 코를 문지르자 드래곤이 반지를 통해서
나왔습니다.

"모두 안녕!"
"안녕하세요. 드래곤님! 근데... 저번에 이걸로 연락할 수 있
다고 했는데 전 부르지 않았는데도 오실 수 있네요?!"
"아 내가 말 안했나? 코에 3번 문지르면 연락할 수 있고, 4
번하면 지금처럼 내가 바로 올 수 있고, 5번은 나한테 힘을
빌려서 마법을 더 강하게 할 수 있어!"
"자자! 여러분 지금 그게 중요한 게 아니잖아요? 지금 우리
는 위기에 처해있다고!"
"아! 그렇지! 드래곤님! 저기 문밖에 있는 아나콘다를
잡아주세요!"
"뭐야 겨우 그거?"
"겨우... 그거라니요? 무슨 말씀이신지?"

그러자 드래곤은 문밖으로 불을 내뿜었습니다.

"으악! 뭐 하는 짓이에요? 이러면 문과 밖이 다 타잖아요!
오잉? 왜 안 타지?"
"후훗 이건 순수한 불이라 못 된 것만 태우지!"

그러자 밖에선 찢어지는 것만 같은 비명소리와 쿵! 떨어지

는 소리가 함께 났습니다.

"와! 드래곤님 대단해요!"
"뭐 이거 가지고 날 살려준 은인에게는 별 것도 아니야."
"드래곤, 넌 이만 가는게 좋겠어 안 그래?"
"그래야지 로니가 날 볼수도 있으니..."
"안녕히 가세요! 드래곤님!"
"그래! 필요한 게 있으면 또 불러라!"

그렇게 드래곤은 자신이 갈 길을 갔습니다. 라니가 또 자신
을 불러줄 거란 생각을 품고 말이죠.

"라니 이젠 다시는 드래곤 부르지 마."
"왜? 힘도 막강하시고 인상도 좋으시잖아 왜?"
"로니언니가 다시 드래곤을 해 할 수 있어 그러니 가급적
안부르는 게 더 좋을 것 같아."
"그... 그건 그러네 알았어! 그렇게."
"그래 가급적..."
"얘들아!"

써니의 말이 끝나기도 전 로니는 무작정 써니의 방으로 들
어왔습니다.

"방금 드래곤 봤어? 내가 잡았다가 탈출해 버린 드래곤이

야! 크...! 다시 잡았어야 하는 건데! 아까워 죽겠네!"

"언니 나 드래곤을 탈출시킨 범인을 알았어."

"누군데?!"

"바로..."

CHAPTER 11

전쟁의 시작

"범인의 정체는!"

"꿀꺽!"

"드래곤이야!"

"뭐? 지금 장난해? 드래곤이 탈출하는데 드래곤이 범인이라고? 그게 지금 말이 되는 소리야?"

"응! 왜냐하면 지금부터 잘 설명해줄게! 잘 들어. 드래곤이 여기에 14년동안 갇혀있으면서 힘을 수련했을거야! 마법을 안 하고 살순 없으니까 그렇지?"

"그렇지 그래서? 본론을 말해."

"알았어 그렇게 수련한 힘으로 감옥을 부숴서 탈출한 거야! 어때?"

"흠... 그런가? 하지만 다시 나타나면 죽여버리겠어!"

그러고 난 뒤 써니는 라니에게 고맙다고 했습니다.

"고맙다 라니야 너가 텔레파시를 보내지 않았으면 큰일 났을거야 다시 한번 고맙다."

사실은 라니가 텔레파시 물약을 먹고 써니에게 자신이 미리 생각한 알리바이를 말하라고 한 것입니다.

"뭐...그거 가지고 9년간 날 가르쳐온 인생의 스승에게 당연한거 아니야?"

"누구야!!!!!"

그 순간 어딘가에서 분노의 목소리가 들려 왔습니다. 그것은 바로 로니였습니다.

"누가 내 뱀을 죽였어?!"

그 순간 써니와 라니는 뜨끔했습니다.

"언니 우린 지금부터 저 뱀에 대해 모르는 척 해야돼. 알겠지?"

"응 당연하지."

"너희 혹시 내 뱀을 죽인 범인 못 봤어?"

"으...응! 우린 못 봤는걸 로니 언니"

"잠깐...너 뭐라고 했냐? 로니?"

"라니야! 그걸 왜 말해!"

"써니, 너도야. 둘 다 딱 걸렸어 지금 내 이름을 그 입에 담았는데... 그보다, 라니! 넌 어떻게 내 이름을 알지? 난 가르쳐준 적이 없는데? 그리고 너! 써니 사실은 말이 안돼. 네가 말한 거짓 알리바이는 어떻게 알았냐고? 라니 손에 있는 저 루비반지! 저거 드래곤들이 은혜를 입으면 주는 은혜의 반지야 그걸 보고 사실 너가 드래곤을 풀어줬다는 걸 알았어! 너희가 범인이었어!"

쾅! 소리와 함께 두 자매는 성 밖으로 떨어졌습니다.

"꺅! 라니! 빨리 바람의 마법!"
"알았어!"

다행이 라니가 마법을 써서 무사했지만 진짜 시작은 지금부터였습니다.

"내 아나콘다를 죽인 복수다!"
"라니! 피해!"

간신히 마법을 피했지만 피하는 것도 힘들었습니다.

"라니, 내가 어떻게든 로니 언니를 막아볼께! 넌 언니를 막을 방법을 찾아!"
"알았어!"
"써니! 난 항상 니가 싫었어! 아니 난 원래부터 동생을 싫어했는데 너와 라니가 이 세상에 태어났어! 그러니 다시 태어나기 전으로 돌려주겠어! 언젠가 날 뛰어넘을 재능을 보여라!"

"그게 무슨 소리야? 뛰어넘다니? 뭐가 됐든! 언니! 이제 그만해! 이러다 성 다 부서지겠어!"

"상관없어! 난 널 죽여야 그동안의 한이 풀리겠어!"

"꺅!"

큰 비명과 함께 써니는 힘 없이 바닥으로 떨어지고 있었습니다.

"잘가라! 써니 꺄하하!"

라니는 초조했습니다. 왜냐하면 이대로 가다간 성이 부서질까봐 두려웠기 때문입니다.

"어떡해! 성이 부서질 것 같아! 그리고 지금 써니 언니가 떨어지고 있어! 어떡하면 좋지? 무슨 방법이 없나?"

그때, 라니가 아주 좋은 생각을 떠올렸습니다.

"그래! 드래곤님을 부르자!"

라니가 루비반지에 코를 문지르자 드래곤이 나타나서 바로 써니를 구출했습니다.

　"감사해요! 드래곤님!"

　"라니야 써니가 많이 위독하다! 내가 로니를 막고 있을게! 빨리 써니를 치료해라! 이 성 어딘가에는 지하 벙커가 많이 있어. 그중에서 마법 물약 창고로 쓰고있는 벙커를 찾아야 해! 이 은혜의 반지는 마법의 기운이 많을수록 빛나. 즉! 마법 약물은 마법으로 만든 거니까, 물약 벙커를 찾을 때 이 반지를 사용해! 알았니?"

　"네! 알겠습니다!"

　"빨리 다녀와라! 내가 충분히 막고 있을게!"

　"네!"

　라니는 드래곤이 말한대로 반지를 사용해 반지가 빛나는 쪽으로 써니를 업고 힘껏 달렸습니다.

CHAPTER 12

지하 벙커

"헉! 헉! 여긴가?"

다행히 라니가 찾은 곳이 물약 저장 벙커가 맞았습니다.

"다... 다행이다 휴! 너무 급하게 뛰었나 봐 힘들어! 아! 일단 써니 언니 치료부터 하자! 언니 잠깐만 기다려!"

라니는 써니를 빨리 치료한 결과, 아무 일 없던 것처럼 새근새근 잘 자고 있었습니다.

"다행이야 언니 근데 왜 아까부터 이 반지는 같은 곳인데 왜 빛이 작았다가, 커졌다가, 할까? 혹시 여기 어딘가에 다른 곳이 있나? 힘들지만 한번 찾아보자!"

열심히 찾아본 결과 라니는 흙으로 덮인 바닥 문을 찾았습니다. 그 문은 어딘가 쭉 이어질 것 같은 통로였습니다.

"드디어 찾았다! 생각보다 길고, 넓은 통로네? 한번 가볼까? 어디로 이어질지 모르니 도착하면 주변 사람들에게 도와 달라거나 피하라고 알려줘야겠어! 그럼 가볼까?"

미스터리한 통로는 생각보다 더럽고 오래된 통로였습니다.

"생각보다 더럽고 오래돼서 성에 있는 사람들이 사용 안 한 지 오래됐나 보네... 잘 관리 안 한 걸 보니 말이야."

길을 따라 나온 곳은 로니의 책 창고였습니다.

"개미굴처럼 모든 벙커를 돌아다닐 수 있는 통로인 건가? 재밌네! 응? 근데 이 일기는 뭐지? 엄청나게 낡았잖아? 그럼, 한번 읽어 볼까?"

그것은 얼마 전 로니가 읽은 아버지의 일기였습니다.

"어머나! 이건 아버지의 일기잖아?! 돌아가시기 전에 쓴 거네?...뭐라고? 이게 무슨 말이지? 믿을 수 없어!"

라니가 본 것은 로니가 읽은 그 문장이었습니다. 그러나 좀 얘기가 달랐습니다.

"내...내가 언젠가는 언니를 뛰어넘을 운명이라고? 믿을 수가 없어! 그럴 리가! 그럼...이게 다 나 때문에 일어난 일이잖아... 그래! 내가 이 일을 다 수습해야겠어! 일단..."

한편 드래곤과 로니는 아주 고통스러운 결투를 하고 있었습니다. 둘이 싸우다 하나가 죽을 것 같은 마법을 사용해 가면서 말이죠.

"꺄하하! 내 귀여운 도마뱀이 제 발로 내 구역에 들어와 주다니! 감사할 노릇인데? 그러나 다시 내 구역으로 돌아온 걸 후회하게 만들어 주마! 각오해! 이 멍청한 드래곤!"

"누가 어딜 봐서 멍청이야? 너야말로 각오해! 로니!! 넌 날 16년 동안 가두고, 괴롭혔지! 그것 때문에 내가 담당하던 자연의 에너지를 16년 동안 돌보지 못했어!"

"좋아? 안 그래? 그리고 난 더 이상 너랑 놀아줄 시간이 없어! 애송이 드래곤! 난 이 성의 주인이자! 대마법사! 로니니까!"

"이젠 복수의 시간이다! 받아라! 로니! 그리고 대가를 치러라!"

"어림없어! 그러게, 옛날부터 내 말을 잘 들었으면 얼마나 좋아? 이젠 아무도 날 막을 수 없어! 널 가루로 만들어 주마! 그리고 여기에 돌아온 것을 후회하게 할 거야! 꼭!"

"그 말 중에 군데군데 틀린 데가 많네?"

"뭐?!"

"가장 기억에 남는 걸 말할 게 넌 아직 성을 너의 아버지로부터 정식으로 물려받지 않았어! 안 그래? 거봐 틀렸지? 그리고! 네가 어딜 봐서 대마법사야? 대마법사라면 자신의 성에 남지 않고, 자신의 펫과 여행하면서 자신의 이름을 여기저기 알리고 다니는 것이 대마법사잖아? 내 말 맞지?"

"으...! 당장 내게 무릎을 꿇게 해주지!"

이렇게 해서 드래곤과 로니의 싸움은 계속됐습니다.

CHAPTER 13
라니의 진정한 힘

드래곤과 로니의 싸움이 한창일 때, 라니는 현실 부정 중이었습니다.

"하... 그래! 내가 나중에 그런다고 일단 받아들이자! 근데 어떻게 그 힘을 깨울지 고민돼 어떡하지?"

그러면서 라니는 자기 손을 봤습니다. 그러자! 문득! 좋은 생각이 났습니다!.

"그래! 난 환영을 볼 수 있지! 그 능력을 사실 더 수련해서! 미래 예지 능력과 과거를 볼 수 있는 능력을 얻었어! 그래! 한번 과거를 보자! 거기에 답이 있을 거야! 얍...!!"

그러자 과거의 순간들이 보였습니다. 그 중! 일기장을 들고, 엄마와 대화하는 아빠를 보게 됐습니다..!

"아빠잖아?!"
"여보 오늘 로니가 써니를 때렸어. 그리고 써니를 지하감옥에 가둬달라고 했어. 왜냐하면 자신보다 예뻐서라고 하더군 로니가 이상해."
"여보 내가 보기에도 로니가 요즘 이상해졌어 내 생각에는 로니는 자신의 분노를 누를 힘이 없는 것 같아 매일 작은 일에도 화를 내고 있어”

“그런 녀석에겐 아무리 자식이라고 해도 이 성과 재산들과 대마법사 자릴 물려줄 수 없어! 여보 우리 애를 하나 더 낳자!”

“뭐라고?”

“그 애에게 내 전부를 줄 거야 그리고 언젠가 로니를 뛰어넘을 마법 실력을 불어넣어 줄 거야!”

“여보 진심이야? 그냥 써니에게...”

“아니! 인생에서 가장 순수할 때 마법을 넣을 수 있어! 그러니까 애를 낳을 수밖에는 방법이 없어! 우리 애 만들자!”

“성공할 수 있을까?”

“그럼! 내 후계자인데!”

“하지만 당신의 마력은 너무 커요! 그게 한방에 애 몸으로 들어간다면 죽을지도 몰라!”

“그래서 그 마력을 어디에 숨겨 놨다가 그걸 자연스럽게 찾으면 그 힘의 봉인을 푸는 거야! 느리겠지만 그 힘을 자극적이지 않게 천천히 주입하면 될 거야! 이 모든 걸 볼 수 있게 애한테 환영 마법을 먼저 넣어줘야겠어! 15살이 되면 자동으로 풀리게 해놓을게!”

“그러면 좀 안심이네!”

“내 말에 동의하지?”

“응.”

"좋아! 지금부터 아기 만들기 프로젝트다!"

과거의 어느 장면이 지나가고 잠시 후, 라니는 로니가 아버지의 일기에 적혀있는 자세한 내용을 잘못 봐서 써니가 늘 목숨이 위태했다는 걸 지금, 이 순간 모두 알았습니다.

"내가 대마법사라는 신분을 아버지에게 물려받을 운명이었다니...!"

그러자 어느 책 한 권이 뽑혔고, 거기에는 아버지의 메시지가 남겨져 있었습니다.

"라니, 이 메시지를 보고 있다면 내가 죽었겠지. 그리고 15살이 된 것을 진심으로 축하한다. 이젠 내 마력을 너에게 천천히 주입해주마! 넌 내 자랑이다! 부디 그 힘을 올바르게 사용해 주길 바란다!"
"네!"
"이상. (뚝)"
"아빠! 제가 반드시 이 모든 것을 바로 잡을게요! 꼭!"

그때 루비 반지에서 드래곤이 급한 목소리로 통화를 걸었습니다.

"라니! 라니! 아직이냐? 왜 이렇게 오래 걸려? 더 이상 은
성을 못 지킬 것 같아! 치료 다 했으면 좀 나와서 나 좀 도
와줘! 로니의 힘이 너무 강해! 혼자서는 무리야!"

CHAPTER 14

모든 것의 끝,
이것이 엔딩

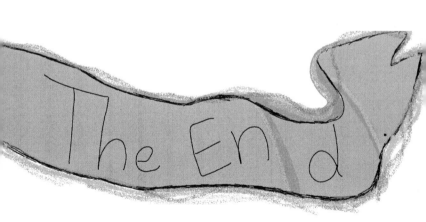

"앗! 드래곤님이 한계에 도달하셨구나! 안돼 내가 얼른 가야 해! 조금만 더 참으세요! 드래곤님! 저 라니가 갑니다."

라니가 전장에 도착했을 때는 드래곤과 로니가 아주 뜨겁게 싸우고 있었습니다.

"크흐흐! 어이! 늙은 드래곤? 좀 많이 지치나 봐? 난 아직 팔팔한데! 속이 다 시원하다! 지금이라도 나에게."
"무릎 꿇으라고? 어림없다! 난 절대 너에게 충성 안 해!"
"그럼...너에게 남는 건 죽음뿐이겠네? 안 그래?"
"으... 더 이상 힘이 없어! 제발 서둘러라! 라니!"
"그에는 절대 오지 않아 그리고 만약 온다고 해도 그 녀석은 날 절대 못 이겨! 그러니 그런 망상은 그만하고 포기하는 게 어때? 너도 잘 알겠지만 넌 날 절대 못 이겨!"

그때 라니가 나타났습니다.

"멈춰! 언니! 그리고 제발 그만해!"
"뭐야 넌?"
"이쯤 하면 됐잖아? 응? 제발!"
"휴! 넌 싹싹 비는 거 외에는 아무것도 할 줄 모르지? 기다려! 너의 차례는 이 드래곤 다음이니까! 순서를 지켜야지? 안 그래?! 저기 가 있어! 이따 상대 해줄게!"
 "그럼 이걸 보고도 차례를 미루나, 안 미루나 결정해!"
 "잠깐... 저건?!"

 라니가 보여준 건 아버지의 일기였습니다. 로니가 잘못 봤던 줄을 딱! 로니 눈앞에서 보여줬습니다.

 "이거 때문에 써니 언니 죽이려고 했지? 그러니 이젠 나와 결투하고 끝을 보자!"
 "좋아! 바로 끝내주지!"

 로니는 이렇게 말해놓고 드래곤을 마법으로 들어서 라니에게 그대로 던졌습니다.

 "맨날 나에게 지고 또 지고 했던 애송이가 날 이길 수 있을까? 있길 테면 이겨봐! 실력을 좀 보자!"
 "얼마든지! 그리고! 오늘은 꼭 이길 테니 걱정하지 마!"
 "그래! 너를 실력을 보여줘!"

 로니와 라니는 일 대 일로 싸웠지만 이상하게도 둘의 공격에는 큰 차이가 없었습니다. 말 그대로 막상막하였습니다.

"크윽! 라니...! 이렇게나 강해지다니!"
"다 언니 덕분이야! 고마워!"

싸우고 있는 모습을 본 드래곤은 라니가 신기했습니다.

"이게 어떻게 된 거지? 라니가 벙커에 다녀온 후에 저렇
게 강해졌어! 신기하군 그럼... 저 애를 한번 믿어볼까?"
"큭! 뭐야? 시간이 갈수록 강해져! 뭐야?! 이게 어떻게..."
"어떻게 됐냐고? 그럼, 한번 아버지의 일기를 잘 봐봐!"
"아... 아니! 아버지의 힘을 모두 받았다고? 웃기지 마!"
"언니 이젠 인정해 내가 언니보다 강하다는 것을! 그리고
이젠 좀 그만해! 성이 이러다 부서질지도 몰라! 제발 이젠!"
"아니! 난 절대 안 멈출 거야! 절대! 내가 이 세상에서 제
일 강하단 말이야! 난 대마법사라고!"

싸우고 있는 도중, 써니가 뒤에서 나타났습니다.

"아니! 그렇지 않아!"
"뭐...뭐야? 내가 치명적인 공격을 했는데?"
"라니가 치료해준 덕분에 살았어! 고마워 라니야! 이제 모
든 걸 끝낼 때야! 라니, 내가 도와줄게!"
"얘들아! 나도 도와주마!"

써니와 드래곤은 라니 덕분에 용기를 갖고 라니를 도와 로니에게 맞서기로 했습니다.

"꺅!"

마침내! 로니가 공격을 막지 못하고 쓰러졌습니다.

"이겼다!"
"그래서! 뭐?! 날...죽일 거야? 그게 내 운명이라면 받아들이지! 어서 죽여줘!"
"아니! 난 언니와 달라! 난 아무도 죽지 않길 원해! 그래서 힘을 조금만 쓴 거야! 언니가 죽길 원지는 않아! 절대로!"
"하! 알았어! 네가 나보다 강하다는 걸 인정하지 나 배고파! 성에 들어가서 저녁 좀 먹..."
"아니 언니 아직 들어갈 수 없어! 왜냐하면 언니는 이 두 가지를 하지 않았어. 그리고, 지금부터 할 거야."
"뭔데?"
"첫째, 언니는 써니 언니와 드래곤님에게 사과를 안했어. 언니가 한 일에는 책임을 져야지."
"뭐? 사과해야 해? 그거까지는 할 필요 없잖아?! 너한테만 사과하면 되잖아? 안 그래?"

"아니, 써니 언니를 죽이려 했고, 드래곤님을 16년 동안 괴롭혔어! 내 말 틀려?"

"쳇!"

"그리고 두 번째, 언니는 죗값을 안 치렀어! 마법 감옥에 가서 재판받아서 형량을 받고, 감옥에서 살다 와야지."

"아니 싫어!"

"나 드래곤이 도와주마"

"뭐?"

드래곤이 마법경찰에게 신고하자 경찰들이 마법 억제 수갑을 채우고 로니를 데려갔습니다.

"이거 놔! 안 놔? 으...! 라니! 너에게 언젠가 복수하겠어!

뒷이야기

그 후 라니는 정식으로 대마법사라는 신분을 갖게 됐고,

드래곤은 그런 라니를 존경한다는 뜻으로 함께 여행할 펫이 되어 라니와 함께 여행하며 이름을 알리고 다녔다.

또한 써니는 로니의 하녀 말리의 새 주인이 됐고, 잘생긴 마법사와 결혼해서 아버지의 성을 물려받았고.

한편 로니는 주위에 심각한 피해를 줬다는 죄로 무기징역을 선고받아 이를 견디지 못하고 스스로 목숨을 끊었다고 한다.

이 소식을 들은 라니와 써니는 로니를 성 뒤쪽 정원에 부모님과 함께 묻어놨다 한다.

그리고 그들은 오래오래 행복하게 살았다고 한다.

HAPPY

ENDING

OR...

BAD

ENDING?

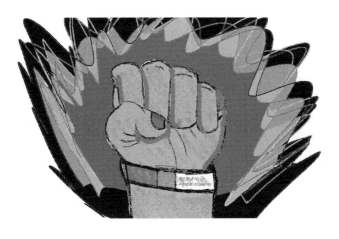

I 'M
ALWAY
COME
BACK

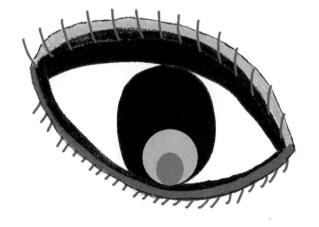

난 언제나

돌아올 것이다

각오해라

라니...

그리고 언젠가

너의 모든 것을

빼앗을 거다

난 너에게 꼭

복수할 거다